Above Us

Cuando Miramos Hacia Arriba

To Carmen, Eduardo, Kaylee and María Fe
with love and gratitude - A. H.

To Cecilia, Juan and Rodrigo with love and best wishes. - A.A.

Text copyright © 2022 by Angela Riedesel
Illustrations copyright © 2022 by Alvaro Agurto

Hardcover: ISBN 979-8-9857812-2-9
Paperback: ISBN 979-8-9857812-1-2
Ebook: ISBN 979-8-9857812-0-5

Library of Congress Control Number: 2022903356

First edition March 2022

Written by Angela Herrera
Illustrated by Alvaro Agurto

ABove US
Cuando Miramos Hacia Arriba

Written by Angela Herrera

ILLUSTRATED BY ALVARO AGURTO

This is a new journey; let me show you
what I see when I look above me.
Don't ask for permission,
there is only one condition:

Use your eyes, ears, nose, hands, mouth.
Now we are ready, so let's go!

Esta es una nueva travesía; te mostraré
lo que puedo ver cuando miro hacia arriba.
No pidas permiso, ese es el único requisito.

Usa tus ojos, oídos, nariz, manos,
boca , y ¡vamos por ello!

Above us are our hands.
Come and give me a high five!

Cuando miramos hacia arriba están
nuestras manos.
¡Ven y choca esos cinco!

Above us is the ceiling.
Let's go touch it—it's not silly.

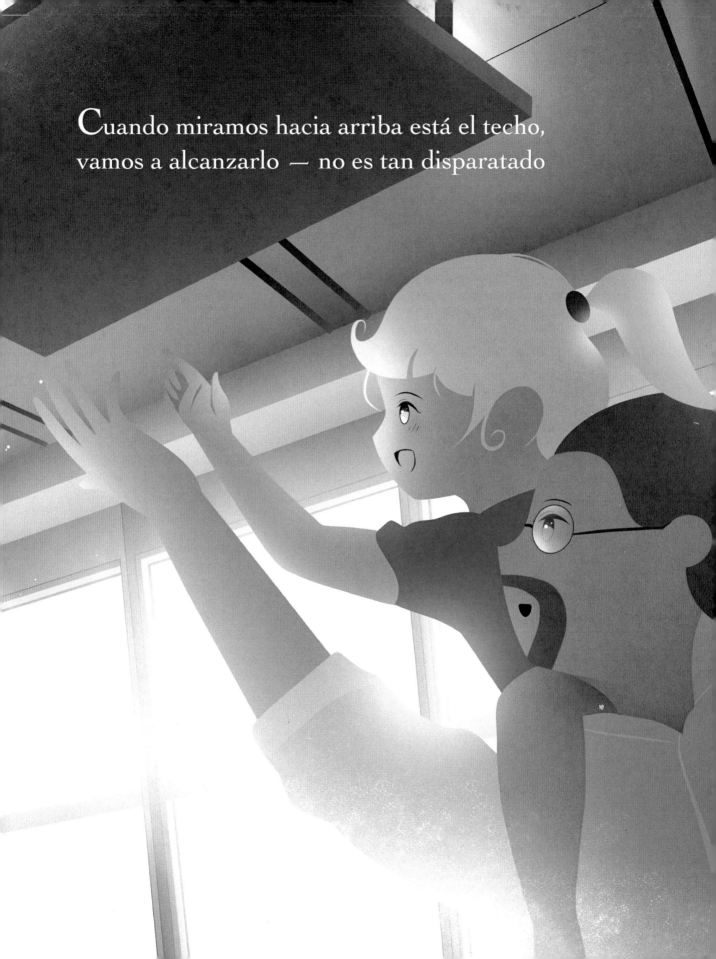

Cuando miramos hacia arriba está el techo,
vamos a alcanzarlo — no es tan disparatado

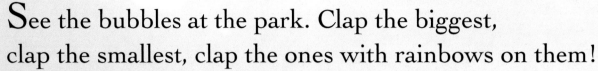

See the bubbles at the park. Clap the biggest,
clap the smallest, clap the ones with rainbows on them!

Mira las burbujas dando vueltas en el parque.
¡Revienta las más grandes, revienta las más
pequeñas, y las que tienen arcoiris en ellas!

At the party, I see balloons.
Let's count fast—they move, too!

One is yellow, two are blue, three are purple,
four are green, five are orange and six are pink.

Take some time and take a breath— I feel tired,
but who cares? Could you count them all again?

Veo globos en medio de la fiesta.
¡A contarlos rápido porque también están bailando!

Uno es de color amarillo, dos son de color azulino,
tres son de color morado, cuatro son de color
verdoso, cinco son de color anaranjado, Y seis son
de color rosado.

Tómate un momento y detente para respirar —
te vas a cansar, pero ¿a quién le va a importar?,
¿podrías contarlos todos una vez más?

Regalos aquí

Above us is the sky, and from there comes the rain.
Grab a jacket—I am getting wet!

Cuando miramos hacia arriba está el cielo, desde donde cae el aguacero. Trae un chubasquero — ¡que me estoy mojando entero!

Above us are the clouds.
Look up—what's up there?
Can you see the whale, the horse,
the koala, and the bear?

Cuando miramos hacia arriba las nubes podemos
contemplar. Busca un poco más — ¿qué puedes
encontrar?, ¿la ballena, el caballo, el koala,
y el oso puedes observar?

Above us are the branches of the trees, with
their leaves, flowers, squirrels, and the birds
are singing chirp, chirp, chirp.

Cuando miramos hacia arriba están las ramas
de todos los árboles, sus hojas de colores,
los nuevos brotes, las amigas ardillas,
y el cantar de las aves.

Above us blows the wind. Wait a minute, or maybe two. Let's fly kites—it's fun, too!

Cuando miramos hacia arriba el viento sopla
un poco más. Espera un minuto, o dos quizás.
Vamos a volar cometas, ¡es entretenido además!

Above us is the universe. Say hello to the planets—
their rings, satellites, stars, and galaxies.

Cuando miramos hacia arriba está el universo
entero. Saluda a los planetas— sus aros, lunas,
astros y galaxias.

There is a star called the sun;
it's so bright, and it makes me warm.

Existe una estrella cercana llamada sol;
es la más brillante y cuando estoy cerca me da calor.

And at night, I see the moon. I want to dance and sing a tune. And if I could share a thought, I would tell you don't wait too long. Go to your window or out the door, and find out if it looks big or small.

Y de noche, podemos ver la luna brillar.
Es tan bella que dan ganas de bailar y hasta
una melodía podría entonar.
Y si pudiera compartirles un pensamiento,
les diría que no esperen demasiado tiempo para
hacerlo, acércate a la ventana de tu habitación,
o mira por la puerta de tu casa hacia afuera y
averigua si se ve grande o pequeña.

This story has been told, but remember at
any time—day or night. . .

La historia ha sido contada, pero siempre debes recordar, durante el día o durante la noche…

Take some time to look up too.
What is there above you?

Date un tiempo para
mirar hacia arriba también.
Y cuéntame, ¿qué es lo que
puedes ver?

Made in the USA
Monee, IL
08 May 2022

96059146R00021